国际大奖小说·注音版
国际安徒生奖

男孩向前冲

HARRY MILLER'S RUN

[英]大卫·阿尔蒙德／著

[英]萨尔瓦多·卢比诺／绘

王晓刚／译

天津出版传媒集团

新蕾出版社

图书在版编目（CIP）数据

男孩向前冲 / (英) 大卫·阿尔蒙德
(David Almond) 著；(英) 萨尔瓦多·卢比诺
(Salvatore Rubbino) 绘；王晓刚译. -- 天津：新蕾
出版社, 2018.6(2018.7 重印)
(国际大奖小说·注音版)
书名原文：Harry Miller's Run
ISBN 978-7-5307-6728-3

Ⅰ.①男… Ⅱ.①大…②萨…③王… Ⅲ.①儿童小
说－长篇小说－英国－现代Ⅳ.①I561.84

中国版本图书馆 CIP 数据核字(2018)第 088367 号

书　　名：男孩向前冲　**NANHAI XIANG QIAN CHONG**
出版发行：天津出版传媒集团
　　　　　新蕾出版社
http://www.newbuds.cn
地　　址：天津市和平区西康路 35 号(300051)
出 版 人：马梅
电　　话：总编办(022)23332422
　　　　　发行部(022)23332676　23332677
传　　真：(022)23332422
经　　销：全国新华书店
印　　刷：北京盛通印刷股份有限公司
开　　本：787mm×1092mm　1/16
字　　数：45 千字
印　　张：6
版　　次：2018 年 6 月第 1 版　2018 年 7 月第 3 次印刷
定　　价：24.00 元

国际大奖小说·注音版
前 言

让孩子登上阅读快车

王林 / 儿童阅读专家

"国际大奖小说"书系集合了世界各国的经典儿童文学作品。这个经典，不是成人读过的四大名著和鲁迅作品，而是儿童文学的经典；这个儿童文学，也已经跨越了安徒生童话和格林童话，是当代儿童文学的经典。

"国际大奖小说"书系畅销十多年，已然成为童书市场的"常青树"和品牌书。无数的孩子喜悦地翻看它们、阅读它们，这些书也喜悦地住进了孩子的心里。

"国际大奖小说"书系的读者群，基本上都是小学中、高年级的学生，甚至中学生。而对于识字量有限的小学低年级孩子，则会因为书中文字量大而选择要么让大人读来听，要么弃而不读了。

小学低年级的孩子，其实应该是一个得到更多关注的阅读群体。想想这些孩子吧，他们收起爱掉的眼泪和爱淌的鼻涕，睁着好奇的眼睛走进校园，开始正式的集体学习生活。过去，妈妈可能每天还会在床头朗读图画书，但上学后这样的时光会越来越少。他们在老师的带领下，识字、学拼音、读课文，从结结巴巴到逐步流利，正在蹚过一条独立阅读的"河"。

所有的孩子都要迈向独立阅读，如同所有的孩子都要独立面对生活。我们除了满心的祝福，还要伸出扶助的手。

"国际大奖小说·注音版"就是这双"扶助的手"。这双手，为低年级孩子选择了这些书，并标注了拼音，让文字不再成为阅读的阻碍；这些书，不论是内容主题还是文字深浅，都适合孩子；这些书，让孩子登上阅读快车，我们则留在站台上，用爱的目光伴他们远行！

献给布兰达和贝丝

献给尼克、丽莎，还有约书亚、丹尼尔和马修

HARRY
MILLER'S RUN

我不想去哈利·米勒家。

现在是星期六早上，我刚刚知道自己

成功报名了"大北跑①"青少年组的比赛。早

在两周前，我就套上了跑步T恤，然后无时无

刻不在想象码头附近和桥上拉起了隔离带

会是什么样子——所有的孩子都在奔跑，所有

的观众都在欢呼雀跃。我梦想着冲向终

①大北跑，即 Great North Run，被誉为世界上第二大半程马拉松比赛，同时也是英国最大规模的城市马拉松赛事，吸引众多英国民众参与其中。

diǎn xiàn de nà yí kè
点线的那一刻。

　　wǒ dǎ diàn huà gěi jié kè xī　wǒ men bǐ cǐ jiào gè bù tíng
　　我打电话给杰克希，我们彼此叫个不停、

xiào gè bù tíng　tā yě bào míng chéng gōng le　cān sài hào mǎ shì
笑个不停。他也报名 成 功了，参赛号码是

　　hào　ér wǒ shì　　hào zhè tài bù kě sī yì le　wǒ men
2594号。而我是2593号。这太不可思议了！我们

dōu jué de　zhè shì mìng zhōng zhù dìng de shìr　wǒ men zhù dìng yǒng
都觉得，这是命 中注定的事儿，我们注定永

yuǎn dōu shì hǎo huǒ bàn　diàn huà zhōng　wǒ men jué dìng mǎ shàng pèng
远都是好伙伴。电话中，我们决定马上 碰

tóu　qù jié sī méng dé shā dì xùn liàn yì fān
头，去杰斯蒙 德沙地训练一番。

　　dàn shì dāng wǒ fàng xià huà tǒng de shí hou　mā ma zǒu guò lái
　　但是当我放下话筒的时候，妈妈走过来，

拍着我的肩膀说："利亚姆，别去。"

"为什么不能去？"

"你得跟我一起去哈利家。明天他就要搬走了，我们得去送送他。"

"妈妈，我不想去！"

"好啦，只待一两个小时而已。就当是给我帮个忙，去一趟吧。"

"但是我没有时间哪，妈妈！"

她笑了："你才十一岁，有的是时间！"

所以最终，我只能叹着气，又给杰克希打了一次电话，告诉他下午再去训练，然后没精打采地跟着妈妈出了门。

哈利是一位老人，感觉上我们已经认识他好久好久了。他住在街的那头儿，一次心脏病发作使他一度垂危，但幸运的是，不久之后他又缓了过来，慢慢恢复了健康。出了重症监护病房后，他在弗里曼医院又待了几周。直到他搬回位于布伦金索普街的家中，我们才注意到他已经出院了。

他会手扶助行架，颤颤巍巍地走出他家的小花园，经过我们的窗外，走向埃尔姆菲尔德俱乐部。他会在街角停下来，喘着粗气，向孩子们挥手，跟邻居们笑着打招呼。当他看见我跑出家门去训练的时候，会冲我喊道："加油，年轻人！别停下来！"我也会朝他挥挥手，笑着向前冲刺。

"太完美了，小伙子！跑吧！屁股后面有狼追着要咬你尾巴呢！想要活命，就跑吧！"

每个人都认识哈利，每个人都爱他。街上的女士会为他捧出茶壶和满盘的美食，俱乐部的老伙计们会陪他一边喝喝啤酒，一边打打

纸牌、玩玩多米诺骨牌。社区医院的护士每天

都去看他，从他家正门出来的时候也总是笑

意盈盈。但是有一天，她发现他摔倒过，头上

有一大片青肿。还有一天，他居然穿着条纹

睡衣在街上闲逛。不能再这样了，没人照

顾他可不行。是时候让哈利丢掉瓶瓶罐罐的

牵绊，搬去贝克大道的圣玛

丽养老院了。

打包整理的那些天，妈妈也过去帮忙了。"可怜的人哪！"她说，"他是怎么承受这一切的？"但是，看起来哈利并没觉得这有多难。他的所有家当都被送到慈善商店、义卖集市，或者直接丢进垃圾场了。这些家当包

括：壶、锅、杯子、盘子、桌子、椅子、衣服、收音机，还有一台旧电视机。

"这都是些什么东西呀？"他说，"身外之物而已，扔掉吧！"

他笑对一切。

"过去的事都已经过去了，我再也不需要它们啦。我将来要去的地方可用不着这些玩意儿。"

我们沿着街走向哈利家。妈妈用钥匙打开了屋门，屋里空空如也，所有东西都已经搬走了，连窗帘都拆了下来。哈利坐在屋子中央一张超大的扶手椅上，腿上放着一

<ruby>个<rt>gè</rt></ruby><ruby>装<rt>zhuāng</rt></ruby><ruby>满<rt>mǎn</rt></ruby><ruby>纸<rt>zhǐ</rt></ruby><ruby>张<rt>zhāng</rt></ruby><ruby>和<rt>hé</rt></ruby><ruby>文<rt>wén</rt></ruby><ruby>件<rt>jiàn</rt></ruby><ruby>的<rt>de</rt></ruby><ruby>盒<rt>hé</rt></ruby><ruby>子<rt>zi</rt></ruby>，<ruby>助<rt>zhù</rt></ruby><ruby>行<rt>xíng</rt></ruby><ruby>架<rt>jià</rt></ruby><ruby>就<rt>jiù</rt></ruby><ruby>立<rt>lì</rt></ruby><ruby>在<rt>zài</rt></ruby>

<ruby>他<rt>tā</rt></ruby><ruby>身<rt>shēn</rt></ruby><ruby>前<rt>qián</rt></ruby>。<ruby>在<rt>zài</rt></ruby><ruby>扶<rt>fú</rt></ruby><ruby>手<rt>shǒu</rt></ruby><ruby>椅<rt>yǐ</rt></ruby><ruby>的<rt>de</rt></ruby><ruby>旁<rt>páng</rt></ruby><ruby>边<rt>biān</rt></ruby><ruby>还<rt>hái</rt></ruby><ruby>有<rt>yǒu</rt></ruby><ruby>张<rt>zhāng</rt></ruby><ruby>小<rt>xiǎo</rt></ruby><ruby>桌<rt>zhuō</rt></ruby><ruby>子<rt>zi</rt></ruby>，

<ruby>上<rt>shàng</rt></ruby><ruby>面<rt>miàn</rt></ruby><ruby>放<rt>fàng</rt></ruby><ruby>着<rt>zhe</rt></ruby><ruby>一<rt>yí</rt></ruby><ruby>个<rt>gè</rt></ruby><ruby>盛<rt>chéng</rt></ruby><ruby>满<rt>mǎn</rt></ruby><ruby>了<rt>le</rt></ruby><ruby>各<rt>gè</rt></ruby><ruby>式<rt>shì</rt></ruby><ruby>各<rt>gè</rt></ruby><ruby>样<rt>yàng</rt></ruby><ruby>药<rt>yào</rt></ruby><ruby>片<rt>piàn</rt></ruby><ruby>的<rt>de</rt></ruby><ruby>盒<rt>hé</rt></ruby>

<ruby>子<rt>zi</rt></ruby>。<ruby>他<rt>tā</rt></ruby><ruby>看<rt>kàn</rt></ruby><ruby>起<rt>qǐ</rt></ruby><ruby>来<rt>lái</rt></ruby><ruby>有<rt>yǒu</rt></ruby><ruby>些<rt>xiē</rt></ruby><ruby>落<rt>luò</rt></ruby><ruby>寞<rt>mò</rt></ruby>，<ruby>但<rt>dàn</rt></ruby><ruby>还<rt>hái</rt></ruby><ruby>是<rt>shi</rt></ruby><ruby>对<rt>duì</rt></ruby><ruby>我<rt>wǒ</rt></ruby><ruby>们<rt>men</rt></ruby><ruby>笑<rt>xiào</rt></ruby><ruby>了<rt>le</rt></ruby>

<ruby>笑<rt>xiào</rt></ruby>。

"<ruby>你<rt>nǐ</rt></ruby><ruby>好<rt>hǎo</rt></ruby>，<ruby>花<rt>huā</rt></ruby><ruby>骨<rt>gū</rt></ruby><ruby>朵<rt>duor</rt></ruby><ruby>儿<rt></rt></ruby>。"<ruby>他<rt>tā</rt></ruby><ruby>说<rt>shuō</rt></ruby>。

"<ruby>你<rt>nǐ</rt></ruby><ruby>好<rt>hǎo</rt></ruby>，<ruby>哈<rt>hā</rt></ruby><ruby>利<rt>lì</rt></ruby>。"

妈妈弯下腰，吻了吻他的面颊。她把他的一绺头发从眉毛处归拢到脑后，然后问他早上洗脸了吗、刷牙了吗、吃饭了吗……

"当然。"他说，"当然，亲爱的，你说的这些我都已经完成了。"

他凝视着我，就好像之前从未见过我一样。

"小小跑手。"他最后说。

"我在，米勒先生。"

他把手伸出来，摸了一下我的T恤。他很虚弱，手也在不住地颤抖。

"是大北跑吗？"他问道。

"是的，米勒先生。"

"我跑过。"

"真的吗，哈利？"妈妈问，"什么时候跑的？"

他的目光又转向我。

"孩子，你今年多大了？"

"十一岁。"

"跟我一样。我也是十一岁的时候参加的大北跑。"

妈妈冲我挤出一丝笑容,看上去有些难过。

"那一定很棒。"她说。

"那可是相当棒啊,亲爱的!"

他说完,闭上了眼睛。妈妈把他腿上的盒子抱了起来。

他看起来像是睡着了,但是却又突然从扶手椅上站了起来,一把抓住了助行架。他的身子前倾着,就好像已经准备好了,随时

就要跑出去一样。

"最后的 冲刺啦！"他喊道。

他咯咯地笑了起来，跌坐回椅子里。

"别介意，孩子。"他喃喃自语，"我只是个
疯老头儿罢了。"

他看向妈妈怀里的盒子。

"那些也扔了吧。"他说，"你们会帮助我
的吧？"

"当然会了。"妈妈回答。

他叹了口气，然后微笑着看向我们身后
的墙壁，就好像我们是透明的。

"朋友们，我能看到大海了。"他说，"我

14

men mǎ shàng jiù yào dào dà hǎi biān le
们马上就要到大海边了！"

bù yí huìr   tā jiù dǎ qǐ le hū lu
不一会儿，他就打起了呼噜。

屋子里弥漫着一股老年人独有的味道，掺杂着尿液与汗液的臊味儿。他对此应该也无能为力吧。也许将来的某一天，我闻起来也会像他一样。太阳光洒进窗户，灰尘闪闪发亮，在光束中翩然起舞。窗外，哈利整洁的小花园里有一些小树。街对面的屋顶之上，纽卡斯尔高塔的尖顶直耸入万里无云的蓝天。

妈妈从那个盒子里取出一沓信封。在哈利鼾声大作的时候，她一一拆开了那些信封，检查是否有重要的、不能丢弃的东西。

首先是出生证明。

姓名：哈利·马修·米勒

出生年份：1927年

父亲：哈罗德，车工

母亲：梅齐，家庭妇女

家庭住址：泰恩河边的纽卡斯尔市，布伦

金索普街17号

"就是现在的地址呀。"我说。

"嗯，他这辈子都住在这儿。快来看，这一定是他的家人。"

那是一张褪了色的黑白相片，上面有一对夫妇和一个襁褓中的婴儿。岁月的痕迹

bìng méi yǒu jiāng dāng nián tā men chū wéi
并没有将当年他们初为

fù mǔ de nà fèn xǐ yuè zhē yǎn zhù
父母的那份喜悦遮掩住。

mā ma bǎ xiàng piàn jǔ dào hā lì de
妈妈把相片举到哈利的

miàn qián wèn wǒ   nǐ jué de hā lì zhǎng de xiàng tā bà mā
面前，问我："你觉得哈利长得像他爸妈

ma   dāng wǒ men kàn zhe hā lì shú shuì de liǎn páng nǎo hǎi zhōng
吗？"当我们看着哈利熟睡的脸庞，脑海中

fú xiàn chū tā nà shuāng yòu dà yòu liàng de yǎn jing shí   bù dé bù
浮现出他那双又大又亮的眼睛时，不得不

chéng rèn   tā zhǎng de zhēn de hé tā de fù mǔ hěn xiàng   yì jiā sān
承认，他长得真的和他的父母很像。一家三

kǒu de xuè mài   jiù liú tǎng zài zhè ge shú shuì
口的血脉，就流淌在这个熟睡

de nán rén shēn shang
的男人身上。

hái yǒu gèng duō zhào piàn   pán shān
还有更多照片——蹒跚

xué bù de hā lì tào zhe dà dà de niào bù
学步的哈利套着大大的尿布，

tā de bà ba chuān zhe gōng zhuāng kù zhàn zài
他的爸爸穿着工装裤站在

一旁，他的妈妈穿着花连衣裙站在另一边；高矮各异的男孩和女孩们围坐在老校舍的长椅上，一位长着大大的鹰钩鼻子的老师坐在正中间，脖子上还围着一圈皮领子。哪个是哈利呢？

我们找到了！那个笑嘻嘻的男孩就站在老师身后，仿佛正从这张七十年前拍下的

照片里向我们挥手致意。

接下来是一份1942年的学生毕业成绩单，上面有老师给他写的评语：

哈利是个努力学习的好小伙儿。希望他前程似锦，顺心顺意。

还有一份同一年签发的学徒证明，他那年开始在斯万·亨特造船厂做电焊工学徒。

一张他穿军装的相片。"他这是在服兵役呢。"妈妈说。

几张哈利和不同女孩的照片，每一个女孩都很漂亮。他们的身影出现在泰恩茅斯海

bīn niǔ kǎ sī ěr mǎ tóu shì chǎng yǐ jí jiā nián huá de mó tiān lún
滨、纽卡斯尔码头市场，以及嘉年华的摩天轮

shang hái yǒu yí yè zhé qǐ lái de fěn hóng sè zhǐ piàn shì zhāng shǒu
上。还有一页折起来的粉红色纸片，是张手

xiě de biàn qiān tiáo
写的便签条：

xiè xie nǐ hā lì zhēn shì měi hǎo de yì tiān
谢谢你，哈利。真是美好的一天。

qī dài xià cì xiāng jù
期待下次相聚。

ài nǐ de
爱你的V

shì shuí wǒ wèn dào
"V是谁？"我问道。

mǎ ma sǒng le sǒng jiān
妈妈耸了耸肩。

21

"谁知道呢？我听说他年轻的时候可是个万人迷，女孩子都喜欢和他一起玩儿。"

她又把相片举到他面前。

"仍然能看出他年轻的时候是一个帅小伙儿！"她说。

另一张照片里，他穿了一条花游泳裤，戴了一顶宽边帽。他的胳膊挽着左右两边朋友的胳膊，背后是一片广阔的海滩——妈妈说那一定是西班牙。

"噢，那是托米·林德！"妈妈说，"还有亚历克斯·马什！上帝呀，愿他的灵魂早日安息。"

还有更多的照片、文件、存折、租金簿、养老手册……以及1954年他父亲的死亡证

míng tā mǔ qīn jǐ gè yuè hòu yě qù shì le liǎng rén dōu huàn shàng
明。他母亲几个月后也去世了，两人都患上

le ái zhèng lí shì de shí hou dōu hěn nián qīng hái yǒu dù jià de
了癌症，离世的时候都很年轻。还有度假的

dìng fáng dān jī piào bú zài liú tōng de wài bì yī yuàn de yù yuē
订房单、机票，不再流通的外币，医院的预约

kǎ chǔ fāng dān
卡、处方单……

zhè yì hé zi jiù shì yí bèi zi mā ma chōu chū zuì hòu
"这一盒子，就是一辈子。"妈妈抽出最后

yí gè xìn fēng dǎ kāi le tā
一个信封，打开了它。

zhè shì shén me tā zì yán zì yǔ dào
"这是什么？"她自言自语道。

zhè jiù shì wǒ gēn nǐ men shuō de hā lì xǐng le dà
"这就是我跟你们说的，"哈利醒了，"大

běi pǎo
北跑。"

xiàng piàn zhōng　　sì gè shòu xiǎo de hái zi　　　sān gè xiǎo nán
相片中，四个瘦小的孩子——三个小男

hái hé yí gè xiǎo gū niang　yì qǐ zhàn zài shā tān shang　míng mèi de
孩和一个小姑娘，一起站在沙滩上。明媚的

yáng guāng xià　nán hái men chuān zhe sōng sōng kuǎ kuǎ de duǎn kù hé xuē
阳光下，男孩们穿着松松垮垮的短裤和靴

子，汗湿的背心搭在光溜溜的肩膀上。小姑娘身着一条白裙子，脚上穿着靴子。他们全都笑嘻嘻的，手里握着超大的冰激凌。

"猜猜哪个是我？"哈利说。

我们都指向同一个男孩。

"好眼力。"他说，"我旁边这个男孩是诺曼·威尔金森，另一个男孩是斯坦利·斯威夫特。"

他的目光停在那里，然后摸着照片上女孩的脸，露出了笑容："她在弗林加入的我们，她的名字叫维罗妮卡。"

他咧着嘴笑了起来。

"照片是安杰洛·加布里尔拍的，他是做冰激凌的。"

他继续咧着嘴笑。

"这是在南希尔兹①。"他说道。

"南希尔兹？"妈妈问。

"你瞧，这是雾中的码头，远方是泰恩茅斯城堡。"

我们凑近了仔细瞧。

"哇，还真是呀！"我们说。

"我们从纽卡斯尔跑到那里的。"哈利说。

我们的目光全都汇聚到他身上。

---

①南希尔兹，英格兰东北部港口城市。

"那是1938年，我们十一岁了。"他回忆道，

"我们年富力强，壮得像跳蚤一样。"

他指了指信封："里面还有好东西呢，继续挖，亲爱的。"

妈妈又抽出一张纸来。她展开的时候，纸张发出了咔啦咔啦的声音，纸边早已泛黄，上面的笔迹也都褪色了。她读了起来：

兹证明

哈罗德·马修·米勒于1938年8月29日从纽卡斯尔跑到了南希尔兹。

了不起的成就！

29

真是个好小伙儿！

干得漂亮！

安杰洛·加布里尔

南希尔兹冰激凌制造大师

1938 年 8 月 29 日

"他为我们所有人都颁发了证书。"哈利说，"还寄了照片给我们。"

我们都不知道该说什么才好。他笑了起来。

"这是个真实的故事。那是一个美丽的夏日，诺曼说'我想去游泳'，于是斯坦利就接话说'我们干脆去南希尔兹吧'。"

"但是，哈利……"妈妈说。

他指了指信封。

"于是我们就去游泳了。"他接着说。

另一张照片中，同样的四个孩子，这次是在海里。他们叫着，笑着，海浪正卷过他们的身旁。

"太美了。"他喃喃自语道，"我们当时跑得浑身是汗，一下子就跳进了海里。海水像冰一样冷，刺得身上都有些发疼了，但我们依然开心得不得了。还有为我们拍照的加布里尔先生。他站在阳光里，笑着催促我们赶快站好。黑头发，黑眼睛，宽宽的肩膀，一袭白衣，他真是个可爱的人哪。"

"可那有13英里①呢！"妈妈惊叹道。

他叹了口气，身子向后靠，窝在了椅子里："等会儿再聊这事吧。能给我杯茶喝吗？"

妈妈沏了杯茶。他举到唇边的时候，茶杯在不住地颤抖。他先抿了一口，又喝了第二口。"这茶真香。"他说，"再帮我拿点药。对，白色的那种，亲爱的。"他吃了药，又喝了几口茶，然后眨了眨眼睛，深吸了一口气，说道："是13英里，但我们跑的时候可不知道。斯坦利

①注：1英里=1.609公里(千米)，13英里约合21公里(千米)。

32

说，之前他和杰基叔叔坐火车去过那里，穿过泰恩河大桥，在一个叫弗林的地方左拐，再往前不远就到了。他说至多一个小时就能到，然后就能回来喝下午茶了。"他咯咯地笑着。

"我们学校还没开地理课，我的知识仅限于爱斯基摩人、侏儒和尼罗河。"

"但你们是怎么跟你们的妈妈说的呢？"妈妈打断我，向哈利问道。

"没说！压根儿没说！"他看向我，"大人

men jīng cháng yí dà zǎo jiù chū qù tiān cā hēir cái huí lái suǒ yǐ
们经常一大早就出去，天擦黑儿才回来。所以

wǒ men bái tiān jīng cháng qù zhèn shang de yě dì li wán huò zhě qù
我们白天经常去镇上的野地里玩，或者去

zhǎn lǎn gōng yuán yào me gān cuì zài jiē shang xián guàng yì zhěng tiān
展览公园，要么干脆在街上闲逛一整天。

tīng qǐ lái nán yǐ zhì xìn shì bú shì
听起来难以置信，是不是？"

bú tài qīng chu wǒ shuō
"不太清楚。"我说。

"孩子，年代不同而已。听着，那天，当我们跑到弗林的时候，就开始明确自己要干什么了。"

他又喝了几口茶。

"我们十点钟开始跑的，当时天气已经有些热了。斯坦利让我们想象皮肤接触到海水的那一刻有多痛快，我们都期待极了。

“我们 冲 出 布 伦 金 索 普 街，跑 向 大 桥，一
路 奔 跑，一 路 欢 笑。我 们 都 穿 着 手 工 做 的 靴
子，老 爸 们 的 好 手 艺 让 它 们 经 久 耐 用。我 们
开 始 互 相 较 劲，但 是 过 了 一 会 儿 之 后，我 告 诉

dà jiā fàng qīng sōng　bù xū yào zhè me pīn
大家放轻松，不需要这么拼。"

tā kàn zhe wǒ　　nǐ néng lǐ jiě　duì ba　jiù shì wèi zuì hòu
他看着我："你能理解，对吧？就是为最后

de chōng cì bǎo cún xiē tǐ lì
的冲刺保存些体力。"

wǒ míng bai de　mǐ lè xiān sheng　　wǒ huí dá dào
"我明白的，米勒先生。"我回答道。

　　　ng　　hǎo hái zi　　　 tā yòu kàn le kàn wǒ de pǎo bù　 xù
"嗯，好孩子。"他又看了看我的跑步T恤，

wèn dào　　zhè bú shì zhèng sài de fú zhuāng ba
问道，"这不是正赛的服装吧？"

　　　bú shì　　wǒ shuō　　zhè shì qīng shào nián zǔ de fú zhuāng
"不是。"我说，"这是青少年组的服装。

wǒ men zhǐ xū yào zài qiáo hé mǎ tóu fù jìn pǎo jǐ yīng lǐ　shí qī suì
我们只需要在桥和码头附近跑几英里，十七岁

yǐ shàng cái néng cān jiā dà běi pǎo de zhèng sài
以上才能参加大北跑的正赛。"

　　　shí qī suì ya　　　nà me　　wǒ men bǐ wǒ xiǎng de hái yào
"十七岁呀……那么，我们比我想的还要

gèng fēng kuáng yì xiē　zǒng zhī　　wǒ men pǎo shàng le dà qiáo　qiáo xià
更疯狂一些。总之，我们跑上了大桥，桥下

的船只正鱼贯而行。海鸥在四周啼鸣，很多人在桥上行走，我们只得边跑边躲闪。下桥后便是盖茨黑德①，我们跑上了主干道，我们问一位卖水果的小贩能不能给我们些水喝，因为我们今天要跑到南希尔兹。'跑到南希尔兹？'他惊讶地问，'那你们最好吃点儿苹果。你们真的要跑到南希尔兹？'

①盖茨黑德是纽卡斯尔南面的城市，与纽卡斯尔是双子城，中间仅隔着一条泰恩河。

"'当然啦。'我们说，'拐个弯就到了，不是吗？'

"'那得看你们拐的到底是哪个弯喽。'他回答道。我们笑了起来，拿上苹果继续出发了。能在这样一个夏日遇见一个这样有趣的人，我们都很开心。沿着桑德兰路跑过去，就是弗林了。那条路又长又直，我们花了将近一个小时的时间才跑完。直至那时，我们还看不到任何大海的迹象。放眼望去，前路漫漫似乎永无尽头。

"我们在弗林火车站门口坐了下来，垂头丧气，一言不发。最后，诺曼开了腔。

“‘那该死的南希尔兹到底在哪儿？’

“斯坦利指了指路的方向。‘我觉得应该是那边。’他说，‘我不是太确定，但是我认为往那儿跑是对的。’

“诺曼瞪着他。‘我累坏了。’他说，‘我们回去吧。’

“我们差点儿就要往回走了。但就在那时，我们看见了她，就在街对面望着我们。”

“谁？”妈妈问道。

“维罗妮卡。”

他又呡了口茶，然后叹了口气。

“你懂的，”他说，“当我们谈论跑步的时

候，总有些事像跑步本身一样。"他笑了笑，继续说道："人总会变老的。孩子，答应我，永远保持一颗十一岁的心。"

"好的，米勒先生。"我说。

"好孩子。我猜你一定跑得很快。"

"还不够快，但是我的耐力十足。"

"那么你已经准备好了。等你十七岁的时候，你会跑得更加出色的。"

"嗯，我觉得也是。"

"至少也要看到海吧，毕竟都已经跑了那么远了。"

"维罗妮卡！哈利。"妈妈说。

“嗯?”哈利没有明白。

“维罗妮卡是谁?”

“维罗妮卡?她是一个奇迹。”

他仰起头来望着天花板,然后闭上眼睛,仿佛在重温旧梦。接着,他睁开双眼,脸上浮现出一丝温暖的笑容。

“她站在一排房子尽头的草坪上,”他回忆道,“正在晾衣服。她停下手里的活儿,抬起一只手搭在眉

máo shàng   zhē zhù cì yǎn de yáng guāng   xiàng wǒ men wàng guò lái
毛上，遮住刺眼的阳光，向我们望过来。

　　　　nǐ qù wèn tā yào diǎn shuǐ hē   nuò màn shuō dào
"'你去问她要点水喝。'诺曼说道。

　　　　nǐ zì jǐ yào qù   sī tǎn lì huí dá
"'你自己要去。'斯坦利回答。

　　　wǒ qù yào ba   wǒ shuō   rán hòu wǒ jiù zǒu shàng qián qù
"'我去要吧。'我说，然后我就走上前去。

wǒ néng kàn jiàn tā chuān zhe yì tiáo bái sè de mián bù qún zi   gē bo
我能看见她穿着一条白色的棉布裙子，胳膊

挎着一只盛满衣服的篮子。我走近了些，而她
也正望着我。

"'请问有何贵干？'当我走近了以后，她
开口问我。

"'能不能给我们杯水喝？'我问道，'我
们是从纽卡斯尔跑过来的，我们的嗓子都快
冒烟了。'

"'从纽卡斯尔来的？'她反问道。

"'是呀。'我回答，'从布伦金索普街来的。
我们本来准备跑到南希尔兹去，但是现在可
能要回去了。'

"'为什么呢？'她问道。

"'因为我们累坏了。'我说,'但南希尔兹还有好远才能到。实际上,我们都不知道它到底在哪儿。'

"她把装衣服的篮子蹾在了地上。'返回去?'她问,'你们不知道它在哪儿?这算是什么态度!'

"'我真不知道。'我解释道,'但是如果你能给我们口水喝,我们会很感激的。'

"'你们在这儿等着!'她扔下这句话之后,就转身离开了。"

哈利半晌没再说话。看起来他又神游仙境去了,也可能又会沉沉睡去。

“她给你们水喝了吗？”妈妈问。

“给了，她给了一大瓶水呢，还有果酱

三明治。她穿上一双很大很大的靴

子。‘你们没必要返回，我知道南希尔兹在

哪儿。’她说道，‘我给我妈妈留了张便

条，我可以带你们去那儿。’她把一个三明

zhì sāi dào wǒ shǒu li　yòu zǒu dào lìng wài liǎng rén nà biān　tā men
治塞到我手里，又走到另外两人那边。他们

biān chī sān míng zhì biān kuáng guàn shuǐ de shí hou　tā yě duì tā
边吃三明治边狂灌水的时候，她也对他

men jiǎng le zhè xiē huà
们讲了这些话。

dàn wǒ men yǐ jīng lèi gè bàn sǐ le　sī tǎn lì shuō
"'但我们已经累个半死了。'斯坦利说，

děng huìr　wǒ men yào shi zài pǎo huí lái de huà　jiù zhēn de huì
'等会儿我们要是再跑回来的话，就真的会

sǐ qiào qiào la
死翘翘啦。'

"'不需要跑回来呀。'她说,'我们可以搭火车回来,你们还有时间回家喝下午茶。'当我们开始笑的时候,她从裙子口袋里掏出一些钱来。'我来买票。'她说,'这是我叔叔给我的。他住在美国,他说他在好莱坞工作。我觉得他在吹牛,但就算是这样又有什么关系呢?'

"我和小伙伴们交换着眼色,一时拿不定主意。这时,一列火车喷着蒸汽进了站。我看着她,嘴里吃着可口的三明治,喝着美味的水,心里有了决定。

"'我叫维罗妮卡。'她说,'怎么称呼你

men ne
们 呢？'

wǒ men gào su le tā
"我 们 告 诉 了 她。

nà hái děng shén me   tā chòng wǒ xiào le qǐ lái   wǒ hé
"'那 还 等 什 么？'她 冲 我 笑 了 起 来。我 和

xiǎo huǒ bàn men duì shì le yì yǎn
小 伙 伴 们 对 视 了 一 眼。

bù děng shén me   wǒ huí dá
"'不 等 什 么。'我 回 答。

bù děng shén me   lìng wài liǎng rén yě zhè me shuō
"'不 等 什 么。'另 外 两 人 也 这 么 说。

nà jiù wǎng nàr   pǎo ba   yú shì   wǒ men jì xù kuáng
"'那 就 往 那 儿 跑 吧。'于 是，我 们 继 续 狂

bēn qǐ lái
奔 起 来。"

duō hǎo de nǚ hái ya   mā ma shuō
"多 好 的 女 孩 呀。"妈 妈 说。

shì ya   hā lì shuō
"是 呀。"哈 利 说。

tā yòu kāi shǐ chén mò le   mā ma wèn tā hái yào bú yào zài tiān
他 又 开 始 沉 默 了。妈 妈 问 他 还 要 不 要 再 添

xiē chá   tā shuō hǎo   tā jiù qù xù bēi le
些 茶，他 说 好。她 就 去 续 杯 了。

我看了看手表。我想起了杰克希，想起了去杰斯蒙德沙地跑步的约定。

"还有事？"哈利问我。

"嗯。"

他点了点头。"我不能再拖啦，我可没有那么多的时间啦。或者就像斯坦利说的，等我完成的时候，就'死翘翘'了。再来点茶。真是好姑娘！哈，还有一片果酱面包呢！"

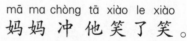

妈妈冲他笑了笑。

"吃一点儿吧。"她说，

tā huì fù yǔ nǐ lì liàng de
"它会赋予你力量的。"

tā chī wán miàn bāo yòng chàn dǒu de shǒu mǒ le mǒ zuǐ chún
他吃完面包，用颤抖的手抹了抹嘴唇，

xiē le yí huìr yòu dǎ kāi le huà xiá zi
歇了一会儿，又打开了话匣子。

wǒ men pǎo chū fú lín chuān guò péi láo hé bǐ ěr mǎ tóu
"我们跑出弗林，穿过培劳和比尔码头，

pǎo jìn le hè bó ēn zhè lǐ rè de gēn dì yù yí yàng
跑进了赫伯恩。这里热得跟地狱一样，

yě liàng de gēn tiān táng yì bān wéi luó nī kǎ jiù zài wǒ
也亮得跟天堂一般。维罗妮卡就在我

men shēn páng pǎo de qīng yíng zì zài wǒ men de jiǎo bù
们身旁，跑得轻盈自在。我们的脚步

yǒu jié zòu de tà zài mǎ lù hé rén
有节奏地踏在马路和人

xíng dào shang yǒu shí hou wǒ men
行道上。有时候我们

huì zǒu zhe xiū xi yí huìr huǎn
会走着休息一会儿，缓

口气，然后继续跑；有时候我们会冲着经过的

人群大喊，告诉他们，我们是从纽卡斯尔的布

伦金索普街一路跑到弗林来的，现在要跑到南

希尔兹去。他们都表示难以置信，他们都说这

堪称奇迹！

"'好小伙儿！'他们说，'好姑娘！跑吧！
跑吧！屁股后面有狼追着要咬你尾巴呢！想要
活命，就跑吧！'

"人们给我们拿来了水，赫伯恩的一位面
点师还给了我们蛋糕。我们不停地跑哇跑哇。

"我们跑到了贾罗，在圣约翰墓地的树荫下稍事休息。我们目睹了人们把一具棺木从灵车中抬出、从一堆哀痛的人群中穿过，

到最后将棺木下葬的全过程。维罗妮卡从悲伤情绪中抽离出来，使劲向外拉伸着胳膊。'他们说我根本活不下来，可你们看看我现在！'她说道。"

"你这话是什么意思？"妈妈问道。

"我也是这么问的——'你这话是什么意思？'维罗妮卡耸了耸肩。'我小时候身子骨儿比较弱。'她说，'闯过几次鬼门关。'"

"我和男孩们安静了下来。每个人都有不为人知的过往。斯坦利有个姐姐在他出生前就夭折了。'那你现在没事了吧?'他低声问维罗妮卡。

"她笑了,用她特有的方式。'斯坦利,如果我没好的话,怎么可能跑去南希尔兹呢?'说完,她站起身来,原地跳了几下,然后带着她健康的身体、强大的内心,以及她那双大大的靴子,与我们一起,再次上路。

"我们把贾罗抛在身后,彼此谈笑着说可以闻见大海的味道了。希望总是要有的,这远比现实更重要,不是吗?不过,大海仍然踪迹全无。

"过了好久，大海依然没有出现在我们眼前。我们已经跑了两个多小时了，已经到下午了，天气像火炙烤着一样热。我们都快累趴下了，速度也降了下来。

"虽然没有人明说，但是我们都在考虑是否应该放弃。即便是维罗妮卡也开始上气不接下气，斯坦利看她的眼神中充满了关切之情。然后，我们就听到了加布里尔的小马那清脆的脚步声，还有加布里尔吹响的喇叭声。"

回忆起这些，他不禁笑了出来："像是奇

jì dào lái yí yàng
迹到来一样。"

jiù shì nà ge zuò bīng jī líng de　　mā ma wèn
"就是那个做冰激凌的?"妈妈问。

shì ya　ān jié luò　jiā bù lǐ ěr xiān sheng kě shì nán xī ěr
"是呀。安杰洛·加布里尔先生可是南希尔

zī de bīng jī líng zhì zào dà shī　wǒ men kàn dào tā zhàn zài yí liàng
兹的冰激凌制造大师,我们看到他站在一辆

tú chéng bái hóng jīn sān sè de bīng jī líng mǎ chē shang　lā chē xiǎo
涂成白红金三色的冰激凌马车上,拉车小

mǎ de máo sè qī hēi yóu liàng　jiā bù lǐ ěr xiān sheng yì shēn bái yī
马的毛色漆黑油亮。加布里尔先生一身白衣

bái kù　bái sè de mào zi shang yìn zhe jiā bù lǐ ěr de pǐn pái shāng
白裤,白色的帽子上印着加布里尔的品牌商

标，身旁放着一只巨大的冰激凌桶。

"他又吹响了喇叭，笑着冲我们吆喝。'买个加布里尔冰激凌吧！'他喊道，'这边最棒的冰激凌！'他勒住缰绳，将小马停在我们旁边。我想到维罗妮卡的现金了。不管什么火车了，现在就买些冰激凌吧！

"'下午好，孩子们！'加布里尔先生说道，

'这么好的天儿，你们要去哪儿啊？'

"'南希尔兹。'我告诉他。他笑了，眼中满
是赞许之意。

"'完美的目的地！朋友们，请问尊姓大
名？'

"我们告诉了他我
们的名字。我还告诉
他，我们是一路从纽
卡斯尔跑到这儿来的。

'真的吗？'他说，'你

们看起来热坏了，也许吃个冰激凌会有所帮助的。'我们都不好意思开口了，只得看向维罗妮卡。她看上去也很想吃。'现在先给你们一个小的。'加布里尔先生说，'等你们到达海滩以后，再给你们更大的！'他打开了冰激凌桶，用勺子挖了起来，然后给了我们每人一个免费的冰激凌。哈！从那时到现在，这七十年我就再没尝过那么好吃的东西。

"加布里尔先生冲我们笑了笑，仿佛在想什么心事。'我可以送你们一程。'他这样说道。诺曼张大了嘴乐，但是维罗妮卡摇了摇头，拒绝了他的好意。'你是对的，维罗妮卡。'加布里尔先生说，'这是你们将会铭记一生的成就。别担心，孩子们，不远了！沿着这条街跑上大洋路，路的尽头就是波光粼粼的大海了！我会在那儿迎接你们！'他猛地直起了腰。'驾！跑起来，弗朗西斯科！我的朋友们，一会儿见！'说完，他驾着马车慢慢走远了。"

哈利停下来休息，双眼凝视着窗外的树木和天空。妈妈又给他添了些茶。

"你之前从没跟人讲过这些吧？"妈妈问道。

"讲过一点点，亲爱的，比如在俱乐部时只

鳞片爪的追忆，但是从没讲过这么多细节。

就算是现在，一定也有我遗漏的事儿。"

"这件事太不可思议了，哈利。"妈妈说。

"就像加布里尔先生说的，这是个伟大的

成就。那一天充满了癫狂和喜悦，如果我

们从未开始，那么我们就不会坚持下去，就会

错过许多。"他笑着，就像那天的场景重现

眼前一般，"所以我们奔跑着，继续跑下去。我

们追着加布里尔先生的马车，直到它从我们

的视线中消失。然后我们继续追，想象着

超大的冰激凌即将变为现实。

"我们跑上了大洋路，海鸥在空中飞舞，

海风轻拂着我们的脸庞。这一次，我们真的
闻到了大海的气息。然后我们喊了起来。'哇，
伙伴们，我看见啦！我真的看见大海啦！'"

哈利的眼睛瞪得大大的，就好像他又看
到了大海一样。

“加布里尔先生就在那里，他言出必行。他坐在马车上，张开双臂，笑着欢迎我们。‘现在，’他问道，‘先来哪个？是先吃冰激凌还是先去大海？’我们一点儿都没犹豫。

　　　wǒ men chōng xiàng shā tān　　tiào jìn le shuǐ li　　dāng wǒ men
"我们 冲 向 沙滩，跳进了水里。当我们

huí tóu kàn de shí hou　　jiā bù lǐ ěr xiān sheng zhèng mǐn zhe zuǐ　xiào
回头看的时候，加布里尔先生 正抿着嘴，笑

zhe kàn wǒ men zài hǎi làng li tiào lái tiào qù　　yí huìr　　zhā měng zi
着看我们在海浪里跳来跳去，一会儿扎猛子，

yí huìr　　fān gēn tou
一会儿翻跟头。

"然后，我们站在一起，他为我们拍了照片。等我们从海里出来，走到马车旁边时，他给了我们这辈子见过的最大个儿的冰激凌，并且又为我们合了一张影。他还为我们准备好了证书。我们坐在沙滩上，念证书上的内容给彼此听。加布里尔先生问我们，知道不知道我们很出类拔萃。他还为我们吟唱起来，那歌声以前我从未听过，以后也再未耳闻——除了在梦里。那是首意大利歌曲，陌生却动听。"

他指了指信封。

"里面还有东西。"他说，"他让路人帮忙拍了照片。"

妈妈把手伸进去，掏出另外一张照片来。所有的人都出现在镜头中，站在冰激凌马车前笑意盈盈。小马弗朗西斯科在他们身后闪着光。

哈利、维罗妮卡、斯坦利和诺曼拿着各自的证书，还有可爱的加布里尔先生，他一袭白衣白裤，帽子上印着自家的名号。他们的身后就是沙滩和大海。

我和妈妈什么也没说，尽管我们看到年少的哈利和维罗妮卡的手牵在了一起。

"然后，"哈利说，"我们把地址留给了加布里尔先生，跟他道了别。我们回到大洋路，径直走向火车站。返程途经贾罗、赫伯恩、培劳和赫沃斯，我们漫长的跑步旅程被火车缩短成了十几分钟。然后，火车到了弗林。"

"维罗妮卡怎么样了？"妈妈问。

"她下了火车，而我们继续返乡之路，在下午茶时间前回到了家中。"

"你知道我想问什么。你们之后又见过面吗？"

"大都在夜里——在我梦中。"

"就这些？"

哈利摇了摇头，眼睛微闭，指向妈妈手中的盒子。

"那个棕色的小包。"他说道。

妈妈把它拿了出来。

"打开。"他说。

她打开了，里面正是哈利和维罗妮卡的相片。

他们站在泰恩河大桥上，大概十八九岁的样子。

微风吹起他们的头发，空中有海鸥飞舞。他们开怀大笑，两手再度紧握。

"是的。"他拿起照片，抓在手中，"我们

又重逢了，相处了一段时间。她真的与众不同。但是那之后……"

他的声音逐渐低沉下去，摇了摇头："亲爱的，有机会再聊吧。我有点儿累了。小伙子还得去跑步，我还得搬家，你还得帮我干活儿呢。"

"好吧，哈利。"妈妈说。

妈妈吻了哈利的脸庞，让他闭上眼睛，休息一会儿。

"嗯，我歇一会儿。"他舔了舔嘴唇，视线仿佛穿进了相片里。

"你认不认为……"他问妈妈。

"认为什么，哈利？"

"你认为，到底有没有天堂？就像人们常说的那样，我们能在天堂里再度相遇？"

"我不知道，哈利。"

"我也不知道。管它呢，也许有吧。也许那些最好的日子就是天堂了，就像我们在南希尔兹的那天，就像其他那些美好的时光一样。"

"和她在一起的时光吗？和维罗妮卡？"

"是的，和维罗妮卡在一起的日子。"

他的双眼有些迷离地看向了我。

"你是个好小伙儿。好好开始，加油努力，你会拥有美丽的人生。"

他闭上了眼睛。

"你知道吗……"睡着前，他自言自语道，"我最大的成就，就是一直努力地向前跑。那真的让我很快乐。"

"快去吧，儿子。"妈妈说，"去找杰克希训练吧。"

哈利没有去成圣玛丽养老院。那天下

午他去世了，就在我和杰克希在杰斯蒙德沙地跑步的时候。妈妈说他看上去好像只是沉沉地睡着了一样。她为他安顿了后事。

葬礼后，人们聚到我家里。我们放了一张意大利歌曲的CD。桌上有啤酒，有一大桶冰激凌。有人在哭，也有人在泪中带笑地讲着哈利生前的趣事。那天下午我又去找杰克希跑步了。我听到哈利在说："太完美了，小伙子！跑吧！屁股后面有狼追着要咬你尾巴呢！为你的美丽人生而跑吧！"

一周以后，我们参加了大北跑青少年
组的比赛。

我们跑过码头，跑过大桥，穿过闪着
金光的河面和欢呼的人群。数以百计的孩
子一起在阳光下奔跑。我和我最好的伙伴

杰克希身披2593号和2594号战袍，一起向终点线冲去。杰克希先我一步到达。这不重要。我们脖子上挂着完赛奖牌，一手拿着证书，另一只手握住对方的手，一同高举起

lái　wǒ men chòng zhe mā ma de zhào xiàng jī kāi huái dà xiào
来。我们 冲 着 妈 妈 的 照 相 机 开 怀 大 笑，

wǒ men kuài lè jí le　wǒ men pǎo de rú cǐ zì yóu　rú cǐ
我 们 快 乐 极 了。我 们 跑 得 如 此 自 由、如 此

qīng kuài　wǒ zhēn de jué de　wǒ men yě xǔ pǎo jìn le tiān
轻 快，我 真 的 觉 得，我 们 也 许 跑 进 了 天

táng
堂。

dì èr tiān　mā ma kāi chē dài wǒ men qù fú lín kàn
第 二 天，妈 妈 开 车 带 我 们 去 弗 林 看

dà běi pǎo de cháng guī sài　wǒ men zhàn zài lù páng　kàn zhe
大 北 跑 的 常 规 赛。我 们 站 在 路 旁，看 着

一小队精瘦、迅捷的职业运动员从我们面前飞驰而过，里面不乏历届的冠军和纪录保持者。然后，便是成百上千的普通参赛者。他们年纪有大有小，身材有胖有瘦。他们一个个气喘吁吁，面色各异——有的欢呼雀跃，有的一脸苦楚，有的唉声叹气，有的喜笑颜开。他们把水浇过头顶，也洒向我们。他们中还有人装扮成大猩猩、鸭子、超人、主教、护士，甚至科学怪人和吸血鬼。观众们

笑着，叫着。

"你们太棒啦！"妈妈高呼，"好小伙儿！好姑娘！加油！干得漂亮！"

然后我看到了他们。他们还是孩子的模样，还没到能参加比赛的年纪。三个瘦瘦的男孩，穿着背心和靴子，一个金发飘扬的女孩，穿着靴子和一条白裙子。他们在人群中闪转腾挪，向我们这边跑来。

我看了妈妈一眼，她的眼睛瞪得大大的，眼神里写满了惊疑之色。他们四个人跑过我们之后，其中一个男孩回过头，冲我们高举起手，挥舞着、笑着，然后消失不见了。他们隐

没在人群之中。一群人跑过，又一群人跑过，

他们一直向前奔跑着。整个泰恩地区，甚至

整个世界仿佛都和他们一起，在耀眼的阳

光下，跑向那片闪着金光的大海之中。

关于跑步的一些小常识

1. 为什么利亚姆的妈妈听到年少的哈利和伙伴们跑了 13 英里的路程之后,那么震惊? 13 英里到底是多长的距离?

1 英里 =1.609 千米,13 英里约合 21 千米,相当于现在的半程马拉松的距离,也相当于围着 400 米的操场跑 50 圈。这对于年仅 11 岁的哈利和伙伴们来说,确实是项了不起的成就。

2.在大北跑青少年组比赛中,利亚姆和杰克希拿到了完赛奖牌。是所有跑完比赛全程的选手都可以拿到这种奖牌吗?

只有在规定时间内跑完全程的选手才可以拿到马拉松比赛的完赛奖牌,这是对他们竞技实力的肯定,也是对他们挑战自我、超越极限、坚忍不拔、永不放弃的体育精神的肯定。

因此,并不是所有参加比赛的选手都可以拿到完赛奖牌哟!